どんどん読める！

日本語 ショート ストーリーズ

vol.1

アルク出版編集部 ■ 編

吉川達・門倉正美・佐々木良造 ■ 翻案

アルク

この本について

「日本語を読む練習がしたいけど、自分のレベルに合った日本語の本がなかなか見つからない」「頑張って日本語の本を読もうとしたけど、内容に興味が持てずに最後まで読めなかった」。この本は、そんな悩みを持つ人に、もっと「日本語で読むこと」を楽しんでほしいという思いから生まれました。

収録されているストーリーは、編集部が世界中から集めた「心温まる話」や「泣ける話」など、心に残る全20話。どれも味わい深く、読んだらすぐにでも誰かに話したくなるようなものばかりです。

この本は、日本語でどんどん読み進めてもらうために、以下の様な工夫がされており、多読学習用の素材としてもお使いいただけます。

● 本文は主に日本語能力試験 N3 レベル程度の語彙、文法でリライトされています。

● ストーリーの理解を助けるようなリード文やイラストが付いています。

● N3 レベルより難しいと思われる単語や表現には、語注があります。
（翻訳は英語、中国語、ベトナム語、ポルトガル語）

● 全ての漢字にルビが付いています。

● 本文の最後にストーリーの長さが文字数で示してあり、自分が読み切った文章の長さを確認できます。

この本は、日本語で読むことが目的ですから、できるだけ辞書を使わないで読みましょう。どうしても分からない部分は、飛ばして読んでも OK。日本語だけでストーリーを楽しもうというつもりで、カフェでお気に入りの本を読むように、気軽に読んでみてください。

この本の構成

タイトル

リード文

ストーリーを読み進めるための
ヒントとなる紹介文です。

ミニイラスト

ストーリーを象徴するイラストです。内容の理解に役立ちます。

二人の兄弟

農場で働く二人の兄弟がいました。二人はお互いの
将来を心配して、ある行動を起こします。その行動は、
二人の関係をより強くしました。

本文

二人の兄弟が一緒に農場を経営していました。兄は結婚していて、家族がたくさんいましたが、弟は独身でした。毎日仕事が終わると、二人はその日にとれた農作物の袋を半分ずつ持って帰りました。

ある日、独身の弟はこう考えました。「毎日農作物を半分ずつにするのは、変じゃないか？僕は独身だから、そんなにたくさんいらないのに」。それで弟は毎晩、自分の農作物が入った袋を一つ、兄の家の小屋に置いておきました。もちろん、兄には秘密です。

同じ頃、結婚している兄はこう考えました。「毎日農作物を半分ずつにするのは、変じゃないか？僕には妻も子どももいる。だから、年を取っても世話をしてもらえる。でも弟は独身だから、将来誰も世話をしてくれない」。それで、兄は毎晩、自分の農作物が入った袋を一つ、

★農場（のうじょう）｜ farm／농장／nông trai／fazenda
★農作物（のうさくぶつ）｜ crops／농작물／nông sản／produto agrícola

語注

N3レベルより難しいと思われる単語には語注があります。（本文中の「＊」の部分）

メインイラスト

ストーリーのポイントとなる場面のイラストです。内容の理解に役立ちます。

3

About This Book

"I want to practice reading Japanese, but I can't find a Japanese book that suits my level." "I tried my best to read a Japanese book, but I wasn't interested in the contents and couldn't finish it." This book was born from the desire to help people with these kinds of worries enjoy "reading Japanese" more.

This book includes heartwarming stories, tear-jerkers and more for a total of 20 unforgettable stories gathered from around the world by the editorial department. Each is profound and leaves you wanting to talk to someone about it after.

This book employs the following means in order to allow you to keep reading in Japanese and use this as a learning material for extensive reading.

● The stories in this book were rewritten using grammar and vocabulary at approximately the JLPT N3 level.

● Illustrations and leading sentences are provided to help you understand the stories.

● Notes are provided for words and expressions considered harder than the N3 level (translations provided in English, Chinese, Vietnamese, and Portuguese).

● Readings are provided for all kanji.

● Each story's length is displayed in number of characters at the end of the text, so you can confirm the length of the stories you have completed.

The purpose of this book is to read in Japanese, so try your best not to use a dictionary. It is OK to skip parts that you just can't understand. Please read lightly with the intention of enjoying the stories in only Japanese, like reading your favorite book at a café.

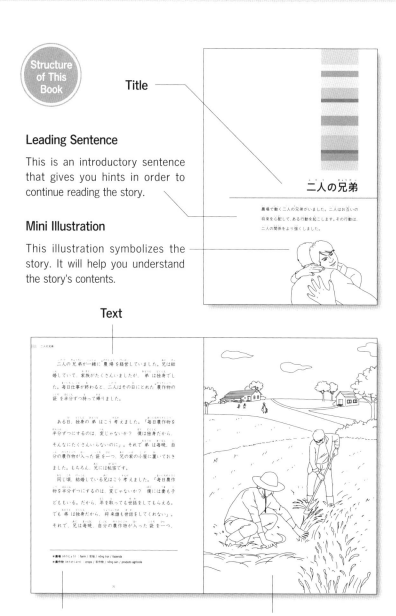

Structure of This Book

Title

Leading Sentence

This is an introductory sentence that gives you hints in order to continue reading the story.

Mini Illustration

This illustration symbolizes the story. It will help you understand the story's contents.

Text

Vocabulary Notes

There are notes for words and expressions considered harder than the N3 level (marked with a " ＊ " in the text).

Main Illustration

This illustrates the scene of the main point of the story. It will help you understand the story's contents.

关于本书

"我想进行日语阅读练习，但总是找不到适合自己水平的日语书""我想要坚持读日语书，但对内容没有兴趣，无法坚持读完"。本书就是为了让有着这些烦恼的人能够进一步享受"日语阅读"的乐趣而诞生的。

　　本书共收录了 20 个故事，都是编辑部从世界各地收集来的"暖人心怀的故事"和"可歌可泣的故事"等让人印象深刻的故事。每一个故事都意味深长，让人看了之后会想要立刻告诉别人。

　　为了让读者逐步加深日语阅读，本书采用了下述方法，也可以用作泛读学习材料。

● 正文主要以日语能力考试 N3 级水平的词汇和语法来撰写。

● 附带帮助理解故事的导语和插图。

● 被认为高于 N3 级水平的单词和表达均添加注释。（译文为英文、中文、越南文、葡萄牙语）

● 所有汉字均标注假名。

● 正文最后用字数来表示故事长度，自己可以确认读完的文章长度。

本书以日语阅读为目的，因此，阅读时请尽可能不要使用字典。无论如何都看不懂的部分也可以在阅读时跳过。请放松心情，像坐在咖啡店内阅读自己喜爱的书籍一样，抱着只用日语去欣赏故事的想法来阅读本书。

本书的构成

标题

导语
用来促进故事阅读的启发性介绍。

小插图
象征故事的插图。有助于内容理解。

二人の兄弟

農場で働く二人の兄弟がいました。二人はお互いの
将来を心配して、ある行動を起こします。その行動は、
二人の関係をより強くしました。

正文

二人の兄弟が一緒に農場を経営していました。兄は結
婚していて、家族がたくさんいましたが、弟は独身でし
た。毎日仕事が終わると、二人はその日にとれた農作物の
袋を半分ずつ持って帰りました。

ある日、独身の弟はこう考えました。「毎日農作物を
半分ずつにするのは、変じゃないか？ 僕は独身だから、
そんなにたくさんいらないのに」。それで弟は毎晩、自
分の農作物が入った袋を一つ、兄の家の小屋に置いておき
ました。もちろん、兄には秘密です。
同じ頃、結婚している兄はこう考えました。「毎日農作
物を半分ずつにするのは、変じゃないか？ 僕には妻も子
どももいる。だから、年を取っても世話をしてもらえる。
でも弟は独身だから、将来誰も世話をしてくれない」。
それで、兄は毎晩、自分の農作物が入った袋を一つ、

＊農場（のうじょう）／ farm ／农场／ nông trại ／ fazenda
＊農作物（のうさくぶつ）／ crops ／农作物／ nông sản ／ produto agrícola

注释
被认为高于 N3 级水平的单词和
表达均添加注释。（正文中的"*"
部分）

主要插图
故事关键场景的插图。有助于
内容理解。

7

Về quyển sách này

"Muốn luyện đọc tiếng Nhật mà chẳng tìm được quyển sách tiếng Nhật nào hợp với trình độ của mình", "Mình đã cố gắng đọc sách tiếng Nhật nhưng không thấy hứng thú gì với nội dung nên đã không đọc đến hết được". Quyển sách này ra đời từ mong muốn những người có những trăn trở như vậy có thể vui vẻ thưởng thức "việc đọc bằng tiếng Nhật" hơn nữa.

Đăng trong sách là 20 mẩu truyện đọng lại trong trái tim như "truyện sưởi ấm trái tim", "truyện cảm động đến phát khóc" v.v. được ban biên tập sưu tầm từ khắp thế giới. Tất cả đều là những truyện có ý nghĩa sâu sắc, khiến bạn muốn kể cho ai đó nghe ngay lập tức sau khi đọc.

Để các bạn có thể đọc thật nhiều bằng tiếng Nhật, quyển sách này đã được áp dụng những công phu sau đây, các bạn có thể sử dụng như một tài liệu học đọc nhiều.

- Phần nội dung chính được viết lại bằng các cụm từ, ngữ pháp trình độ N3 của Kỳ thi Năng lực tiếng Nhật.

- Có câu dẫn và tranh minh họa giúp hiểu nội dung mẩu truyện.

- Với những từ vựng và cách diễn đạt được cho rằng khó hơn trình độ N3 thì có chú giải từ. (Dịch tiếng Anh, tiếng Trung, tiếng Việt, tiếng Bồ Đào Nha)

- Tất cả Hán tự đều có cách đọc.

- Độ dài mẩu truyện được thể hiện bằng số chữ ở cuối truyện, bạn có thể kiểm tra được độ dài đoạn văn mình đã đọc trọn vẹn.

Vì quyển sách này có mục đích là đọc bằng tiếng Nhật nên các bạn hãy hạn chế sử dụng từ điển trong khả năng có thể để đọc. Những phần nào không thể hiểu được, các bạn đọc lướt qua cũng được. Hãy thử đọc một cách thoải mái với tâm trạng thưởng thức truyện chỉ bằng tiếng Nhật, như thể bạn đọc quyển sách mình yêu thích ở tiệm cà phê .

Tên truyện

Câu dẫn

Câu giới thiệu gợi ý để có thể đọc truyện.

Tranh minh họa nhỏ

Tranh minh họa tượng trưng cho truyện. Giúp hiểu được nội dung truyện.

Nội dung chính

Chú giải từ

Với những từ vựng và cách diễn đạt được cho rằng khó hơn trình độ N3, có chú giải từ. (Phần dấu * trong nội dung chính)

Tranh minh họa chính

Tranh minh họa tình huống là điểm quan trọng của truyện. Giúp hiểu được nội dung truyện.

Sobre este livro

"Eu quero praticar a leitura em japonês, mas é difícil achar um livro do meu nível", "Tentei ler livros em japonês, mas não consegui concluir porque o seu conteúdo não era nada interessante". Este livro foi feito para as pessoas que passaram por essas situações, desejando-lhes oferecer uma leitura prazerosa em japonês.

Foram reunidas vinte histórias comoventes e emocionantes do mundo inteiro pelo departamento editorial. São histórias marcantes que dá vontade de contar para alguém logo depois de ler. Foram adotados os seguintes métodos para facilitar a leitura de textos em japonês. Este livro pode ser utilizado também como material de estudo de leitura extensiva.

● Os textos foram reescritos utilizando principalmente o vocabulário e a gramática do nível 3 do Exame de proficiência em língua japonesa.

● O texto vem acompanhado de uma introdução e ilustrações para facilitar a compreensão do seu conteúdo.

● O vocabulário e as expressões considerados mais difíceis do que o nível 3 foram explicados no glossário (com tradução para o inglês, chinês, vietnamita e português).

● Todos os ideogramas *kanji* vêm acompanhados de sua leitura.

● No final de cada texto está registrado o número de caracteres, para o leitor poder verificar o comprimento do texto que acabou de ler.

Como o objetivo deste livro é a leitura de textos em japonês, procure não utilizar o dicionário. A leitura pode ser prosseguida mesmo sem entender um trecho. Faça a leitura de forma descontraída, como se lesse o seu livro preferido num café, procurando desfrutar do conteúdo somente em japonês.

Composição deste livro

Título

Introdução

Breve apresentação que oferece dicas para a leitura da história.

Pequena ilustração

Ilustração que simboliza a história. Ajuda na compreensão do seu conteúdo.

Texto

二人の兄弟

農場で働く二人の兄弟がいました。二人はお互いの将来を心配して、ある行動を起こします。その行動は、二人の関係をより強くしました。

Glossário

O vocabulário e as expressões considerados mais difíceis do que o nível 3 foram explicados no glossário (com " ＊ " no texto).

Ilustração principal

Ilustração da cena principal da história. Ajuda na compreensão do seu conteúdo.

CONTENTS 目次

湖になりなさい
（みずうみ）

人生に悩んだ若者が、昔教わった教師の所へ相談に行きます。
悩んでいる若者に、教師は塩の入った水を飲ませます。教師
が若者に伝える、塩の意味とは……。

　ある所に、一人の不幸な若者がいました。彼は、自分がどうすればいいか、分からなくて悩んでいました。そこで、昔学校で教わった教師の所へ行って、自分がどんなに悲しい人生を送っているかを話しました。そして、それを変えるにはどうしたらいいか、尋ねました。

　＊年老いた教師は、塩を少し取って、水の入ったコップに入れました。そしてそれを飲むように若者に言いました。

「味はどうだ？」と教師は尋ねました。

「ひどいです」と若者は首を振りながら答えました。

　教師は笑って、もう一度塩を少し取りました。そして今度はそれを湖に入れるように若者に言いました。二人は何も話をしないで、近くの湖まで行きました。湖に着くと、若者は塩を湖に投げました。

＊年老いた（としおいた）：old / 上年纪 / già / idoso

「湖の水を飲んでみなさい」と教師は言いました。若者は湖の水を少し飲みました。

「味はどうだ？」

「おいしいです」

「塩の味はするかい？」

「いいえ」

教師は、若者の隣に座りました。そして、若者の手を取って言いました。

「人生での苦しさは、塩と同じだ。それ以上でもそれ以下でもない。苦しさの量はいつも同じで、変わらない。しかし、苦しさの感じ方は、入れ物によって変わる。君が人生の苦しさを感じたときにできることは、*物事を広く見ることだ。コップではなく、湖になりなさい」

■531文字■

＊物事（ものごと）：things / 事情 / sự vật / coisas

二人の兄弟

農場で働く二人の兄弟がいました。二人はお互いの将来を心配して、ある行動を起こします。その行動は、二人の関係をより強くしました。

　　二人の兄弟が一緒に*農場を経営していました。兄は結

婚していて、家族がたくさんいましたが、弟は独身でし

た。毎日仕事が終わると、二人はその日にとれた*農作物の

袋を半分ずつ持って帰りました。

　　ある日、独身の弟はこう考えました。「毎日農作物を

半分ずつにするのは、変じゃないか？　僕は独身だから、

そんなにたくさんいらないのに」。それで弟は毎晩、自

分の農作物が入った袋を一つ、兄の家の小屋に置いておき

ました。もちろん、兄には秘密です。

　　同じ頃、結婚している兄はこう考えました。「毎日農作

物を半分ずつにするのは、変じゃないか？　僕には妻も子

どももいる。だから、年を取っても世話をしてもらえる。

でも弟は独身だから、将来誰も世話をしてくれない」。

それで、兄は毎晩、自分の農作物が入った袋を一つ、

---

*農場（のうじょう）：farm / 农场 / nông trại / fazenda

*農作物（のうさくぶつ）：crops / 农作物 / nông sản / produto agrícola

弟の家の小屋に置いておきました。もちろん、弟には秘密です。

二人は毎晩、農作物が入った袋を一つ、こっそり相手の家の小屋に置きに行きます。しかし朝になると、農作物の袋の数は*元に戻っています。何年もの間、二人はそれを不思議に思っていました。すると、ある夜、ついに二人は偶然出会いました。二人はお互いの顔をじっと*見つめ合って、何が起きているのか少しずつ理解していきました。二人は手に持っていた農作物の袋を落として、強く*抱き合いました。

■544文字■

---

*元に戻る（もとにもどる）：to return to the original (number, etc.) / 恢复原状 / quay lại chỗ cũ / voltar a ser como era

*見つめ合う（みつめあう）：to stare at one another / 相互凝视 / nhìn nhau / olhar um ao outro

*抱き合う（だきあう）：to embrace one another / 互相拥抱 / ôm nhau / abraçar-se mutuamente

コップを置いて

あなたは心配していることや、嫌なことなどをずっと頭の中で考えてしまいますか？　ずっと考えていたら、疲れませんか？それは水が入っているコップをずっと持つようなものなのです。疲れないためには……。

ある先生が、ストレスの管理について話していました。先生は水の入っているコップを見せて「みなさん、このコップは軽いですか。重いですか」と学生に聞きました。学生は「軽い」「重くない」「ちょっと重い」「軽くない」「重い」「とても軽い」など、さまざまな答えを言いました。先生が話を続けました。

「このコップが軽いか重いか。実はコップの重さとは関係ありません。コップを持っている時間の長さで、軽いか重いかが決まります。もし、1分だけなら、持っていられますよね。では、1時間持っていられますか？　1日中、ずっとは持っていられないでしょう。持っている時間が長ければ長いほど、コップは重く感じるようになるのです」

「今、あなたが困っていること、相談したいこと、*悩んでいることも、このコップの水と同じです。あなたがずっと自分の問題について考えていたら、疲れて、嫌になってし

---

*悩む（なやむ）：to worry / 烦恼 / lo âu / preocupar-se

まうでしょう。そんなときは、コップを置いて少し休みましょう。少し休んで、もう一度＊持ち上げればいいんです」

　困っているとき、悩んでいるときに、元気になって、また人生を歩き続けることができるように、私たちはときどき休まなければなりません。ですから、心配していること、困ったこと、嫌なことをときどき頭から消して、＊リラックスする時間を毎日作るようにしましょう。

■549文字■

＊持ち上げる（もちあげる）：to lift up / 拿起 / cầm lên / levantar
＊リラックスする：to relax / 放松 / thư giãn / relaxar

おもらし

ハルキは、授業中におもらしをしてしまいました。見つかったら、クラスのみんなに笑われてしまいます。そんなハルキを助けたのは、マリコでした。マリコはどうやってハルキを助けたのでしょうか？

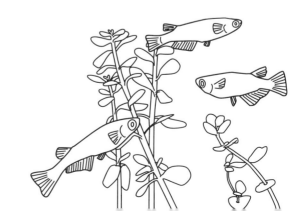

　小学校3年生のハルキは、授業中に突然、自分の両足の間がぬれていることに気付きました。ズボンの前もぬれています。ハルキは、*心臓が止まるかと思いました。クラスの男の子たちに見つかったら、いつまでも笑われてしまいます。女の子たちが知ったら、もう二度と話し掛けてくれないでしょう。

　ハルキは慌てました。「大変だ！　助けて！　どうしよう！」と、心の中で叫びました。顔を上げると、先生がハルキの方に近づいて来ます。先生は、ハルキが何をしたのか分かっているようです。

　ちょうどそのとき、同じクラスのマリコが、先生の*言いつけで、水がいっぱい入った*水槽を運んでいました。マリコは、クラスで飼っているメダカの水槽の水を交換していたのです。マリコは先生の前でつまずき、水槽の水を

＊心臓（しんぞう）：heart / 心脏 / tim / coração
＊言いつけ（いいつけ）：order / 吩咐 / lời dặn / pedido
＊水槽（すいそう）：fish tank / 鱼缸 / chậu nước / aquário

全部ハルキの膝に掛けてしまいました。ハルキは少し怒ったふりをしましたが、心の中では何回も「ありがとう！」と言っていました。

　おかげで、ハルキはクラスのみんなに笑われないで、*同情されることになったのです。先生は急いでハルキを下の階に連れて行き、体操のときのズボンに着替えさせました。その間に、他の生徒たちが、ハルキの机と椅子や、その周りを拭いてくれました。

　学校が終わってから、ハルキはマリコの方に歩いて行って、小さな声で「さっきはどうもありがとう！　*わざとやったんでしょ？」と聞きました。

　マリコも小声で、「私も*おもらししたことがあるの」と答えました。

■596文字■

＊同情する（どうじょうする）：to sympathize / 同情 / thông cảm / sentir compaixão
＊わざと：on purpose / 故意 / cố tình / de propósito
＊おもらしする：to wet one's pants / 尿裤子 / đái dầm / fazer xixi na calça

犬の一生が短い理由

年取った犬が死ぬときを迎えました。その犬を飼っている家族の母親は、「どうして犬は人間より早く死ぬの？」と悲しみます。そのとき、6歳の息子が「僕は、どうしてか知ってるよ」と話し始めます。

「お母さん、イチローの様子がおかしいよ！」

「たいへん！＊獣医さんを呼ばなくてはね」

　イチローは＊ゴールデン・レトリバーで、10歳になりました。6歳の明はイチローが大好きで、いつも一緒に遊んでいました。でも、最近、イチローは年取ってきて、体が弱っていました。

　獣医が家に来て、イチローを診察しました。獣医は首を振って、明のお父さんとお母さんに「イチローの命はもう長くない」と言いました。

「ご家族3人で、イチローが死ぬときに一緒にいてあげてください」と獣医は言って、帰って行きました。

「でも、明はイチローの死を＊受け止めることができるかしら？」

　お母さんがお父さんに尋ねました。お母さんの目からは

＊獣医（じゅうい）：veterinarian / 兽医 / bác sỹ thú y / veterinário

＊ゴールデン・レトリバー：Golden Retriever / 金毛猎犬 / loài Golden Retriever /
　　　　　　　　　　　raça Golden Retriever

＊受け止める（うけとめる）：to take, to accept / 接受 / chấp nhận / aceitar

涙がこぼれそうです。

　お父さんは、明をそばに呼んで、言いました。

「明、悲しいことだけど、イチローは*天国に行ってしまうよ。みんなで見送ってあげようね」

　明は、黙って、イチローの首を優しく抱いていました。明は普段と変わらない様子で、イチローが死んでしまうことを理解していないように見えました。

　その日の夜、イチローは家族に*見守られて、静かに*息を引き取りました。

「どうして、犬はこんなに早く死んでしまうのかしら」

　お母さんが、犬の一生が人間の一生よりもずっと短いことを悲しみました。

　すると、それまでずっと黙っていた明が、静かな声で言いました。

＊天国（てんごく）：heaven / 天堂 / thiên đường / céu

＊見守る（みまもる）：to watch over / 守护 / dõi theo / observar

＊息を引き取る（いきをひきとる）：to pass away / 断气 / trút hơi thở cuối cùng / dar o último suspiro

「ぼくは、どうしてか知ってるよ」

　お母さんとお父さんは驚いて、明の方を見ました。

　明は、言いました。

「人間は、いつも、みんなを大好きでいたり、みんなに優しくしたり、毎日楽しく生活したりできるように努力しているんだよね？」

　6歳の男の子は続けました。

「犬は、もうそういうことができているから、人間ほど長く生きなくてもいいんだよ」

■713文字■

2月14日はバラの花を

ある新聞社が、バレンタインデーに本当にあった話を募集しました。新聞社にたくさんの手紙が届きました。その中からスーザン・パーカーの話が選ばれて、その年の2月14日の新聞で紹介されました。さて、それはどんな話でしょうか。

結婚してから約50年たった頃、夫のジョンが亡くなりました。夫は亡くなるその日まで私に優しくしてくれました。私たちは、まるで親友のように過ごしていました。一緒に映画を見に行ったり、近所を散歩したりするのが大好きでした。夫は歩くとき、いつも私と*手をつないでくれて、いつも幸せな気分にしてくれました。

2月14日の*バレンタインデーには、毎年、夫は街の花屋に寄って、12本のバラの花束を買ってくれました。バラの花束には「昨日よりも今日、もっと君を愛しているよ」と書いてあるカードが必ず入っていました。

そしてある日突然、夫は*旅立ちました。子どもたちが家に帰って来てくれて、しばらくの間は私のそばにいてくれました。しかし、数週間後にはそれぞれの家庭や仕事に戻って行きました。私は*独りぼっちになりましたが、

---

*手をつなぐ（てをつなぐ）：to hold hands / 牵手 / nắm tay / dar as mãos

*バレンタインデー：Valentine's Day / 情人节 / lễ Tình nhân / Dia dos Namorados

*旅立つ（たびだつ）：to pass away / 逝世 / qua đời / partir

*独りぼっち（ひとりぼっち）：all alone / 孤零零一个人 / cô độc / completamente sozinho

夫がいなくても生きていけるように努力しました。

　独りぼっちで迎える最初のバレンタインデーが*やってきました。

　そろそろお昼ご飯の支度をしようと思ったとき、玄関のチャイムが鳴りました。ドアを開けると、街の花屋さんが花束を持って立っていました。花屋さんはバラの花束と小さなカードを*差し出して「ご主人からです」と言ったのです。私は驚きました。そして、次の瞬間、*怒りを感じました。

　私は冷静に「これは何かの冗談ですか？　だったら、ずいぶん悪い冗談だと思いませんか？」と言いました。すると、花屋さんは「いいえ、冗談ではありません」と言いました。そして、こう言ったのです。

＊やってくる：to come around / 到来 / đến / chegar

＊差し出す（さしだす）：to hold out / 献上 / đưa ra / entregar

＊怒り（いかり）：anger / 愤怒 / tức giận / raiva

「ご主人はお亡くなりになる前にお店にいらっしゃって、バレンタインデーに、毎年、必ず奥様に12本のバラの花束をお届けするようにと、バラの代金を何年分も前払いなさったのです」

　私はバラの花束とカードを受け取りました。カードにはこう書かれていました。

「昨日よりも今日、もっと君を愛しているよ」

■758文字■

ぴかぴかの家

女の子の家から、ぴかぴか光るきれいな家が見えました。
女の子は「いつかあの家に住みたい」と思っていました。
女の子が自転車でその家へ行ってみると……。

ある女の子が、*丘の上の小さい家に住んでいました。

女の子は毎日、小さい庭で遊んでいました。そして背が伸びると、庭の*柵の向こうが見えるようになりました。女の子は、*谷の向こうの丘の上に、素敵な家があるのを見つけました。その家の窓は太陽の光を浴びて、いつもぴかぴか光っていました。ぴかぴか光る窓を見て、女の子は「いつかあの家に住んでみたいな」と思いました。

女の子は自分の小さい家も家族も好きでしたが、ぴかぴか光る窓の家の方がもっと好きでした。晴れの日も雨の日も、その家を見るのが習慣になりました。「あの家にはどんな家具があるのかな。きれいな服がいっぱいあるのかな。いつか、あの素敵な家に行ってみたいな」と毎日考えていました。

少し大きくなった女の子は自転車に乗れるようになりま

---

*丘（おか）：hill / 山丘 / đồi / colina

*柵（さく）：fence / 栅栏 / hàng rào / cerca

*谷（たに）：valley / 山谷 / thung lũng / vale

した。ある日、女の子はお母さんに聞きました。

「ねぇ、今日は自転車で庭の外へ行ってもいい?」

「いいけど、あまり遠くへ行かないでね」

　その日はいい天気でした。女の子が行きたい所はもう決まっていました。女の子は自転車に乗って、谷の向こうの丘の上にあるあの家に向かいました。小道を下って、谷を越えて、とうとう谷の向こうの家に着きました。家の前に自転車を止めて、門の前に立ちました。どきどきして家を見上げると、窓がぴかぴか光るあの家はありませんでした。そこにあったのは、誰も住んでいなくて、窓が汚れている古い家でした。

　女の子はがっかりしました。そして、すっかり元気がなくなって、自転車で自分の家に向かいました。ところが、帰り道、谷の向こうの家を見て、女の子はびっくりしました。その家は太陽の光を浴びてぴかぴか光っていました。

ぴかぴか光る窓の家は、女の子の小さい家でした。

　女の子は「いつか住んでみたい」と思っていた家に住んでいたのです。本当のぴかぴか光る窓の家は近すぎて、自分がその家に住んでいるのに *気が付かなかっただけだったのです。

＊気が付く（きがつく）：to notice / 意识到 / nhận ra / perceber

あなたはビンに
何を入れますか？

ある大学の先生が、ビンに大きい石や小さい石、砂を入れて、ビンがいっぱいかどうか学生に質問しています。どうしてそんな質問をするのでしょう。先生が学生に伝えたいこととは……。

　大学の先生が教室で学生たちの前に立っています。先生の前には、とても大きなビンと、石や砂の入った箱が置いてあります。授業が始まると、先生は何も言わずに、ビンの中に大きい石をいくつも入れて、ビンをいっぱいにしました。そして先生は学生に「ビンは今、いっぱいですか？」と尋ねました。学生たちは「はい」と答えました。

　次に先生は、少し小さい石の入った箱を取って、石をビンの中に入れました。そしてビンを軽く振りました。もちろん小さい石は大きい石の間を通って、ビンの下の方に落ちて行きます。先生はまた学生たちに聞きました。「ビンは今、いっぱいですか？」と。学生たちは「はい」と答えました。

　今度は、先生は砂の入った箱を取って、砂をビンの中に入れました。もちろん、砂は大きい石と小さい石の間を通って、ビンの下の方に落ちて行きました。そして先生は

また「ビンは今、いっぱいですか？」と尋ねました。学生たちは「はい」と答えました。

「さて……」と先生が言いました。「この石の入ったビンは、あなたたちの人生によく似ています。大きい石は大切なもの、例えば家族や両親、健康や子どもたちです。もし他のものがなくても、これさえあれば人生は大丈夫だと思えるようなものです。少し小さい石は、次に大事なものです。例えば、仕事や家、車のように。そして砂は、その他の*どうでもいいものです」

「もし君たちがビンの中に最初に砂を入れてしまったら……」と先生は続けました。「大きい石や、小さい石を入れるスペースがなくなってしまいます。人生も同じです。将来、もし君たちがどうでもいいことをするために時間やエネルギーを全部使ってしまったら、大事なことをする力

---

*どうでもいい：trivial / 无关紧要的 / sao cũng được / sem importância

は残らなくなってしまうでしょう。君たちの幸せにとって、何が一番大切なのか、よく考えなさい。子どもと遊んだり、夫婦で出かけたり、自分の健康に注意したりする。これは、大切なことです。仕事に行ったり、家を掃除したり、パーティーに行ったり、台所の修理をしたりすることは、いつでもできます。まず、大きな石、つまり本当に大事なものを大切にしなさい。そして、君たちにとって大事なものに、順番を付けるのです。残りはただの砂なのだから」

■907文字■

ペイフォワード
(Pay-it-forward)

アメリカのあるピザ屋ではピザを買うとき、もう1ドル払うと、他の人が無料で1枚ピザを食べられる。この方法は "Pay-it-forward"（＝先払い）と呼ばれている。「先払いのピザ」のいいところは、ピザが食べられるだけではない。その影響は……。

　メイソン・ウォートマンはウォール街での仕事を辞め
て、故郷のフィラデルフィアで1枚1ドルのピザ屋を始め
た。フィラデルフィアは大きな都市だが、アメリカで最も
貧しい都市だった。

　ピザ屋を始めてから数カ月たったとき、一人の客が
ウォートマンに言った。「ピザ1枚分の代金を払ってお
くから、*ホームレスのお客さんにピザを食べさせてあげ
て」

　ウォートマンは「先払いのピザの代金、1ドル」と*付箋
に書いて壁に貼っておいた。そして、次に来たホームレス
の客にピザを1枚出した。もちろん、ホームレスの客か
らお金はもらわなかった。

　それから、この「先払いのピザ」について、他の客にも
話してみた。たくさんの客がこのアイデアに賛成した。そ
して、いつからか分からないが、先払いする客が付箋に

---

*ホームレス：homeless / 流浪汉 / vô gia cư / sem-teto
*付箋（ふせん）：slip of paper / 便条 / giấy viết ghi chú / nota adesiva

メッセージを書くようになった。

「自信を持って」

「楽しくピザを召し上がれ」

「あなたのために」

「よい一日を！」

　店の壁が温かいメッセージでいっぱいになった。ホームレスの客は無料でピザが1枚食べられるだけではなく、元気ももらえるのだ。

　こんなこともあった。よくピザを食べに来るホームレスの男性が、しばらくウォートマンの店に来なかった。ウォートマンが心配していると、ホームレスの男性がお店に来て、ピザの代金を先払いした。男性は「仕事が見つかって、今はホームレスではないんだ」と言った。男性は

「先払いのピザ」のおかげで仕事が見つかったのだ。

「先払いのピザは、二つの問題——ホームレスの食事とお店の *売り上げ——を同時に解決する方法です。もっとたくさんのレストランが同じことをしてくれれば、たくさんの人に食事をしてもらうことができると思います」とウォートマンは話している。

また、ウォートマンはもっとたくさんのホームレスに食事を出すために、そして、自分のお店の売り上げを増やすために、ピザだけではなくＴシャツも売り始めた。Ｔシャツを誰かが１枚買うと、フィラデルフィア市内の困っている人にＴシャツが１枚 *寄付される。ウォートマンはこうした目的でもっと多くの商品を店で売る計画を立てている。

現在、「ペイフォワード」はウォートマンのピザ屋だけでなく、アメリカ中のコーヒーやハンバーガーのお店にも広がっている。

■914文字■

＊売り上げ（うりあげ）：sales / 销售额 / doanh thu / venda

＊寄付する（きふする）：to donate / 捐赠 / quyên góp / doar

ポスト・イット（Post-it）

書いたメモを簡単に貼ったり、剥がしたりできるポスト・イット。あなたもメモを書いて、パソコンやノートに貼ったことがあるかもしれません。ポスト・イットは、一人の化学者のあきらめない気持ちと、仕事仲間のアイデアから生まれました。

　　３Ｍという会社にスペンサー・シルバーという*化学者がいました。彼は強い*接着剤を作る研究をしていましたが、彼が発明したのは、とても弱い接着剤でした。その接着剤で紙を付けても、弱すぎて、簡単に*剥がれてしまいました。

　シルバーは、この弱い接着剤にも何か使い方があると思いました。それで、会社のいろいろな人に「何かいいアイデアはありませんか」と聞いてみました。しかし、誰も*思い付きませんでした。シルバーは何年も会社の仲間にアイデアを尋ねましたが、数年たつと、みんなシルバーの話を聞かなくなってしまいました。しかし、シルバーが全然諦めないので、会社の人は、シルバーを「剥がれない男」と呼ぶようになりました。

　同じ会社で働くアート・フライも、シルバーの接着剤

＊化学者（かがくしゃ）：chemist / 化学家 / nhà hóa học / químico

＊接着剤（せっちゃくざい）：adhesive / 黏合剤 / chất keo / cola

＊剥がれる（はがれる）：to peel off / 剥落 / bị bong tróc / descolar-se

＊思い付く（おもいつく）：to come up with / 想到 / nghĩ ra / lembrar-se

の話を聞きましたが、他の人と同じように、それが何に使えるか思い付きませんでした。ある日、彼が教会に行くまでは……。

フライは*聖歌隊として、教会で歌を歌っていました。しかし、歌の途中でみんなから遅れることがあったので、フライは歌の本に*しおりとして紙を挟んでおきました。ところが、本を開くと、紙が落ちてしまいます。彼は思いました。

「本に紙を貼りたいなぁ。でも剥がすときに本が破れたら、嫌だなぁ。貼れるけれど、剥がすときにきれいに剥がせる、そんな紙があったらいいのになあ……。ん？　そういえば……！」

そのとき彼は、剥がれない男のことを思い出しました。

フライと、シルバーのアイデアが一緒になって、貼って

＊聖歌隊（せいかたい）：choir / 唱诗班 / thánh ca đoàn / coral

＊しおり：bookmark / 书签 / thẻ làm dấu sách / marcador de página

もきれいに剥がせる紙のアイデアが生まれました。しかし、思った通りに貼ったり剥がしたりするのが難しくて、なかなか商品になりませんでした。そして12年かかって、やっと「ポスト・イット（Post-it）」が完成しました。

　今では、ポスト・イットは私たちの生活にすっかり*定着し、日本でも「*付箋」と呼ばれてよく使われています。３Ｍは、毎年500億枚のポスト・イットを作っています。それほどポスト・イットは便利なものなのです。

　シルバーは、映画を見ているときに、ポスト・イットがたくさん貼ってあるパソコンが出てくると、とてもうれしくなります。それは、ポスト・イットが私たちの生活の一部になっていることを表しているからです。「ポスト・イットはただのメモじゃなくて、新しいコミュニケーションの道具なんだ」。シルバーは、そう言います。

■960文字■

---

*定着する（ていちゃくする）：to take root / 扎根 / định hình / fixar-se
*付箋（ふせん）：slip of paper / 便条 / giấy viết ghi chú / nota adesiva

医者と父親
（いしゃ と ちちおや）

少年の急な手術のために、すぐ病院に戻るように医者が呼ばれた。医者が病院にいなかったので、少年の父親は医者にひどく文句を言った。医者は、手術を無事成功させると、すぐに病院を飛び出していった。なぜ医者はそんなに急いでいたのだろうか？

医者が病院に大急ぎで戻ってきた。少年の＊緊急手術を行うために呼ばれたのだ。医者は服を着替えると、すぐに手術室に向かった。

手術室の外の廊下では、少年の父親が心配して行ったり来たりしていた。

父親は医者を見て怒った。

「どこに行っていたんです？　どうしてこんなに時間がかかったんですか？　息子は死にそうです。もし息子が死んでしまったら、あなたの責任ですよ！」

医者は静かに答えた。

「申し訳ありません。できるだけ急いで来たのです。どうか、落ち着いてください」

「落ち着けですって？　手術室にいるのがあなたの息子さんだったら、あなたはそんなに落ち着いていられますか？」

＊緊急（きんきゅう）：emergency / 緊急 / cấp cứu / urgente

父親はもっと怒って言った。

「自分の息子が死んでしまうかもしれないときに、あなたならどうするんですか?」

医者は *穏やかな表情で答えた。

「私なら、 *聖書の言葉を思い出そうとします。★『全ては一つの所に行く。全ては塵から成った。全ては塵に帰る』という言葉です。医者は全ての命を救えるわけではありません。一生懸命頑張ることしかできないのです。さあ、息子さんのために祈ってあげてください。私たちは息子さんのために *最善を尽くします」

「あなたには、親の気持ちなんて分からないんだよ」と父親は小声で言って、ベンチまで歩いて行くと、座り込んだ。彼の妻は夫の隣に座り、自分の肩で夫の頭を優しく支えた。

＊穏やか（おだやか）：calm / 平和 / hiền hòa / tranquilo

＊聖書（せいしょ）：the Bible / 圣经 / Kinh thánh / Bíblia

＊最善を尽くす（さいぜんをつくす）：to do one's best / 竭尽全力 / cố gắng hết sức / fazer o melhor

少年の手術は何時間もかかった。ようやく手術が終わり、医者が出てきて、両親に言った。

「全てうまくいきました。息子さんは良くなりますよ」

そう言うと、医者は両親の返事を待つこともなく、エレベーターに向かって廊下を走って行った。エレベーターの前で、医者は両親の方を向いて、こう言った。

「何かご質問がありましたら、看護師に聞いてください！」

「何て医者だ！」と父親は妻に言った。

「息子が今どういう状態なのか、もう少し詳しく私たちに話してくれてもいいだろう」

看護師は父親の言葉を聞いて、夫妻に近づき、こう言った。

「先生の息子さんは昨日、交通事故で亡くなりました。先

生が緊急手術で呼ばれたのは、*お通夜のときでした。あなた方の息子さんが助かったので、先生は息子さんの*埋葬に立ち会うために、急いで出ていかれたのです」

★ 旧約聖書「コヘレトの言葉」3章20節にある言葉

『全ては一つの所に行く。全ては塵から成った。全ては塵に帰る』

・All go unto one place; all are of the dust; and all turn to dust again.

・都归一处。都是出于尘土，也都归于尘土。

・Mọi sự đều đi về một nơi. Mọi sự đều đến từ bụi đất. Mọi sự đều trở về bụi đất.

・Tudo e todos se dirigem para o mesmo fim: tudo vem do pó e tudo retorna ao pó.

■965文字■

---

*お通夜（おつや）：wake / 灵前守夜 / đêm đưa tang / velório

*埋葬（まいそう）：burial / 埋葬 / chôn cát / enterro

一杯の牛乳
<ruby>一杯<rt>いっぱい</rt></ruby>の<ruby>牛乳<rt>ぎゅうにゅう</rt></ruby>

「<ruby>情<rt>なさ</rt></ruby>けは<ruby>人<rt>ひと</rt></ruby>の<ruby>為<rt>ため</rt></ruby>ならず」という<ruby>日本<rt>にほん</rt></ruby>のことわざがあります。<ruby>他<rt>ほか</rt></ruby>の
<ruby>人<rt>ひと</rt></ruby>に<ruby>親切<rt>しんせつ</rt></ruby>にしたことは、<ruby>自分<rt>じぶん</rt></ruby>に<ruby>戻<rt>もど</rt></ruby>ってくるという<ruby>意味<rt>いみ</rt></ruby>です。これ
は、<ruby>一杯<rt>いっぱい</rt></ruby>の<ruby>牛乳<rt>ぎゅうにゅう</rt></ruby>から<ruby>始<rt>はじ</rt></ruby>まる、<ruby>人<rt>ひと</rt></ruby>と<ruby>人<rt>ひと</rt></ruby>のつながりの<ruby>話<rt>はなし</rt></ruby>です。

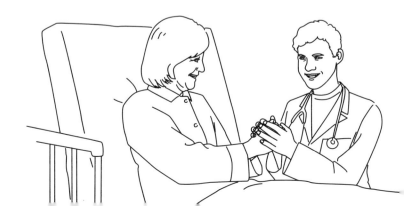

　とても貧しい地域に住んでいる一人の少年がいました。
彼は、学校を卒業するために、家から家へキャンディーを
売り歩いていました。

　ある日、彼はとてもおなかがすいていました。でも、1
ドルしかお金がありません。そこで、次の家に行ったら、
何でもいいから食べ物をもらおうと思いました。

　次の家のドアが開くと、中年の女性がいました。少年
はその女性を見ると「食べ物をください」と言えなくなっ
てしまって、「水を1杯ください」と言いました。その女
性もあまりお金がありませんでしたが、おなかがすいてい
るのだろうと思って、少年のために大きなコップに牛乳
を入れて持ってきました。

「僕はこれしか持っていません」。少年は牛乳をゆっく
り飲みながら、ポケットから1ドルを出しました。すると

女性は優しく言いました。「お金はいらないのよ。子ども
からお金をもらっちゃいけないって、私は母から教わった
の。あなたは強くなりなさい。そして将来、立派な人にな
るのよ」

　少年は女性の家から帰るとき、自分がちょっと強くなっ
た気がしました。それだけでなく、女性の優しさに元気を
もらいました。

　女性は少年のことをときどき思い出しました。女性には
子どもがいなかったので、その日のことがとてもいい思い
出になったのです。

　それから何年も月日が流れたある日、女性は急に具合が
悪くなって、倒れてしまいました。近所の病院の医者たち
は、彼女の悪い所が分からなかったので、町の大きな病
院に彼女を移しました。

女性は、難しい手術を受けました。手術が終わって目が覚めたとき、彼女は生きていることを幸せに思いました。しかし、厳しい現実も知りました。彼女には、家族も、＊医療保険もありません。手術の費用は＊高額だったので、彼女は死ぬまでずっと、その手術の費用を払い続けなければならないのです。

　次の日、医者が女性の部屋をノックしました。医者は手に封筒を持っています。そして、にこにこ笑いながら封筒を彼女に渡すと「中を見てください」と言いました。女性が不思議そうに封筒を開けると、そこには＊請求書が入っていました。彼女が緊張しながら、それを開くと、

「金額は、牛乳1杯分」

と書いてありました。「えっ」と彼女が驚くと、「手術の費用については心配しないでください。もう支払い済みです」と医者が言いました。

＊医療保険（いりょうほけん）：medical insurance / 医疗保险 / bảo hiểm y tế / seguro de saúde
＊高額（こうがく）：a large sum, expensive / 昂贵 / số tiền lớn / caro
＊請求書（せいきゅうしょ）：bill / 付款通知单 / hóa đơn / fatura

　そのとき彼女は、その医者があのときの少年だと *気が付いたのです。

■977文字■

＊気が付く（きがつく）：to notice / 意识到 / nhận ra / perceber

ツイッター (Twitter)

2011年3月に日本で大地震が起きたとき、ツイッターは大切な家族や友人と連絡を取ることができる数少ない手段の一つになりました。非常に多くの人が同時に利用していたのに、ツイッターは一度も使えなくなることはありませんでした。なぜでしょうか？

　　ツイッター（Twitter）は簡単に情報を発信できる便利な
ものですが、＊災害などのときには、重要な連絡手段にも
なります。

　　2011年3月11日に日本の東北地方で巨大な地震が起こ
りました。地震の後の＊津波によって福島の＊原子力発電
所で大きな事故が起きました。地震と津波と原子力発電所
の事故のために、何百万人もの人々が被害を受けました。
地震や津波によって電気が止まってしまうと、テレビやラ
ジオは使えませんし、家の電話も使えません。そうした中
では、被害を受けた多くの人々にとって、携帯電話や、ツ
イッターなどのSNS（Social Networking Service）だけが、
外の世界と連絡できる手段だったのです。

　　これは、他の地域に住んでいる人々も同じでした。家族
や友人が被害を受けた地域に住んでいる場合、家の電話に
かけても通じないので、携帯電話やSNSで連絡しようとしま

＊災害（さいがい）：disaster / 灾害 / thiên tai / desastre
＊津波（つなみ）：tsunami / 海啸 / sóng thần / tsunami
＊原子力発電所（げんしりょくはつでんしょ）：nuclear power plant / 核电站 /
　　　　　　　　　　　　　　　　　nhà máy phát điện hạt nhân / usina nuclear

した。

　そのときツイッターを利用する人も非常に多かったので、ツイッターの*サーバーがダウンしてしまうかもしれませんでした。しかし、ツイッターのサーバーは、地震が起こってから一度もダウンすることはありませんでした。なぜでしょうか？

　それは、太平洋の向こうのサンフランシスコに住む、ある日本人エンジニアのおかげでした。ツイッター社の丹羽善将さんがサーバーを増やし、同僚たちと一緒に毎日24時間ずっと働き続けて、サーバーを守っていたのです。そのために、非常に多くの人たちが集中してツイッターを利用してもサーバーはダウンしませんでした。

　地震が起きて津波が来たのは、日本では３月11日金曜日の午後でしたが、そのときサンフランシスコでは木曜日の

---

*サーバーがダウンする：to go down (e.g. a server) / 服务器瘫痪 / máy chủ bị sập /
servidor ficar sem serviço

夜でした。丹羽さんはこの大災害のニュースを知って、週末にかけて日本国内でツイッターの利用が急に大量に増えると、サーバーがダウンしてしまうと思いました。それでは、被害を受けた人たちがもっと困ることになってしまうかもしれません。

　丹羽さんはすぐに、コンピューター室にある2台の新しいサーバーのことを思い出しました。予定では来週から、そのサーバーを利用することになっていました。丹羽さんは責任者ではありませんでしたが、その2台のサーバーを日本からの利用に*対応するサーバーとすることを決め、サーバーの数を3台に増やしました。

　後に、彼はこの判断について、こう説明しています。
「上司は私にいつも言っていました。自分で判断しないで、会社や上司の指示を待っていてはいけない。会社や社

---

*対応する（たいおうする）：to handle / 应对 / ứng phó / atender

会をより良くするために何をしたらいいのか自分で決め、

そして行動するように、と」

　丹羽さんの、この判断のために、ツイッターは大変な状

況の中でも、ずっと人々を*つなぐことができたのです。

■1,075文字■

＊つなぐ：to connect / 连接 / kết nối / conectar

僕はお兄ちゃんだから

いつもけんかしている二人の兄妹がいました。ある日、二人とも同じ病気になってしまい、兄は元気になりましたが、妹はだんだん悪くなっていきました。妹が助かる方法は一つしかありませんでした。そのとき、兄は……。

　ティミーとシンディーという兄妹がいました。ティミーは10歳、シンディーは8歳でした。二人はいつもけんかしていました。どちらがテレビ番組を選ぶかでけんかをして、どちらが最後の1枚のクッキーを食べるかでけんかして、どちらが先にトイレに入るかでけんかしました。

　兄妹はほとんど毎日けんかをしましたが、とても暑い夏のある日を最後に、けんかをしなくなりました。二人ともせきをしていたので、お母さんが心配して病院に連れて行くと、二人とも同じ珍しい*病気にかかっていました。

　ティミーとシンディーは数週間入院しました。ティミーはだんだん良くなりましたが、シンディーはだんだん悪くなっていきました。

　*担当医は両親に「最悪のことを考えておく必要があります」と言いました。そして「しかし、一つだけ方法があります。ティミーの血をシンディーにあげれば、つまり輸

＊病気にかかる（びょうきにかかる）：to contract a disease ／ 患病 ／ mắc bệnh ／
　　　　　　　　　　　　　　　contrair uma doença
＊担当医（たんとうい）：doctor in charge ／ 主治医生 ／ bác sỹ phụ trách ／ médico responsável

血をすれば、シンディーも良くなるかもしれません。ティミーはずいぶん良くなったので、ティミーの血にはシンディーに必要な＊抗体があるはずです」と言いました。

　その後、担当医はティミーの病室に入って、こう尋ねました。「ティミー、君の血をシンディーにあげてもいいかな。シンディーが元気になるには、この方法しかないんだ」

　ティミーはだんだん顔が青くなって、唇が＊震えて、今にも泣きそうになりながら、「うん、そうするよ。シンディーが助かるならね」と言いました。

　担当医はすぐに輸血の準備を始めました。ティミーは目を大きく開いて、自分の体から赤い血が出て行くのを＊見つめていました。ティミーは担当医を見て、とても小さな声で「先生、一つ聞いてもいい？」と言いました。担当医は「もちろん。何でも聞いて」と言いました。病室が急

＊抗体（こうたい）：antibody / 抗体 / kháng thể / anticorpo

＊震える（ふるえる）：to quiver / 颤抖 / run lên / tremer

＊見つめる：to stare at / 凝视 / nhìn chằm chằm / observar

に静かになりました。

「ちょっと*気になっていたんだ。血がなくなったら、僕はどのくらいで死んじゃうの？　それから、痛いの？」

担当医は両親の方を見ました。そして、ティミーの質問の意味を理解しました。ティミーは、「血をあげる」というのは自分の血を全部あげる、つまり自分の命をシンディーにあげるということで、それでも構わないと思っていたのです。

お母さんは「ティミー」と言って、ベッドに寝ているお兄ちゃんを優しく抱きしめました。「ティミー。あなたは死なないのよ。優しいお兄ちゃんね。本当にシンディーのことが大好きなのね」

輸血は成功して、シンディーも元気になりました。二人とも無事退院しました。それから二人は、前よりけんかを

＊気になる：to be curious / 担心 / thắc mắc / preocupar-se

しなくなりました。それに、ティミーは「一緒に遊ぶ？」とシンディーにときどき聞いてあげるようになりました。

■1,068文字■

ルーム・トゥ・リード
(Room to Read)

マイクロソフト（Microsoft）の重役のジョン・ウッドは、休暇で
ネパールを旅行しました。旅行中、ネパールの山の中の学校に
行ったとき、学校の先生がジョンに一つのお願いをしました。その
お願いがジョンの人生、そして、世界を変えることになります。

あなたにとって、人生の成功とは何でしょう。例えば、自分の飛行機で移動したり、ヨットを買ったり、政治家に経済のアドバイスをしたりすることでしょうか。IT企業で成功した人が、ロバを連れて、何時間もかけてネパールの山道を歩くことは、あまり想像できないかもしれません。

これはマイクロソフトの＊重役だった、ジョン・ウッドという人の話です。

1998年、マイクロソフトで働いていたジョンは、毎日の仕事に疲れていました。そこで休暇を取って、ネパールを旅行することにしました。＊ヒマラヤで山歩きをしているとき、ジョンは、ネパールの教育に関係する役人に出会いました。ジョンはその人から、ネパールの学校には本や教科書が足りないと聞いたので、近くの村の学校を見に行くことにしました。

＊重役（じゅうやく）：executive / 重要角色 / người lãnh đạo / diretor
＊ヒマラヤ：the Himalayas / 喜马拉雅山 / Himalaya / Himalaias

　学校に着いたジョンは、学校の図書室を見て驚きました。そこには、旅行者が置いていったガイドブックと、2冊の小説しかありませんでした。その学校の校長先生が言いました。

「いつかまたここに来るとき、子どもたちのために本を持ってきてくださいませんか」

　この言葉がジョンの人生を変えました。

　ジョンはネパール旅行から帰ると、友だちにメールを出して、ネパールの子どもたちのための本を送ってほしいと頼みました。すると、1カ月で3,000冊以上の本が集まりました。

　1999年に、ジョンはまたネパールに行きました。本を運ぶための8頭のロバと一緒に、細い山道を進みました。村の学校に着いて、ジョンは子どもたちに本を渡しました。

本を受け取った子どもたちは、とても 喜びました。それを
見て、ジョンは自分の仕事を変える決心をしました。

　その年に、ジョンはマイクロソフトを辞めました。そし
て、ネパール人のディネシュ・シュレスタと一緒に「ルー
ム・トゥ・リード（Room to Read）」という組織を作りま
した。彼らは、まず、ネパールで村に学校や図書館を作る
のを手伝いました。

　2000年に、ジョンたちは 少 女たちに 教 育を受けさせる
活動を始めました。その頃*開発途上国では、女性が十分
な 教 育を受けられなかったからです。

　2017年現在、ルーム・トゥ・リードはネパールだけで
なく、ベトナム、カンボジア、インド、スリランカ、ラオ
ス、バングラデシュ、 南 アフリカ 共 和国、ザンビア、タ
ンザニアの10カ国で 活動しています。これまでに1,900以
上 の学校と、1万7,000以上 の図書館・図書室を作り、

---

*開発途上国（かいはつとじょうこく）：developing country / 发展中国家 / các nước đang phát
triển / país em desenvolvimento

1,500万冊以上の本を配りました。

　本を集めるとき、その国の言葉で書かれた本を集めるのが難しかったので、最初は、英語の本ばかりを集めていました。しかし今では、その国の言葉で書かれた本を作ることも手伝っています。ルーム・トゥ・リードが作った図書館に行くと、それをたくさん見ることができます。

　ジョンが最初にネパールの村を訪問したときに学校の校長先生から頼まれたことが、ジョンの人生を変えました。また、それは世界を変えることになったのです。

★ルーム・トゥ・リードのホームページを見てみよう

　https://www.roomtoread.org/　（本部のホームページ）

　http://japan.roomtoread.org/　（日本支部のホームページ）

■1,174文字■

父の目
（ちちのめ）

ピーターは高校と大学で、ずっとアメリカンフットボールのチームに入っていましたが、ほとんど試合に出ることはできませんでした。それでも、ピーターの父親はいつも試合を見に来てくれました。そしてある日、悲しいことが起こります……。

ピーターは父親と二人だけで暮らしていました。ピーターの父親は、いつも息子の世話を一生懸命していました。健康的な食事を作って、息子が病気のときは*看病しました。二人はお互いに何でも話すことができる、とても仲が良い親子でした。

ピーターは父親が自分のためにしてくれること全てに感謝していました。中でも自分の*アメフト（アメリカン・フットボール）の試合を見に来てくれることに感謝していました。試合のとき、父親はいつもスタンドに座ってピーターを応援しました。

ピーターはほとんど試合に出られませんでしたが、父親はいつも応援に来ていました。そして、試合が終わって、ピーターが家に帰ると、父親はいつもピーターを褒めました。

ピーターはアメフトが大好きだったので、一生懸命練

＊看病（かんびょう）：to take care of／护理／chăm bệnh／cuidado com doente
＊アメフト（アメリカン・フットボール）：American football／美式橄榄球／bóng đá Mỹ／
futebol americano

習しました。高校時代、ピーターは一度も練習や試合を休んだことはありませんでした。しかし、ピーターが試合に出られたのは、チームが*大差で勝っているときの2、3分だけでした。

　ピーターは大学に入ると、アメフトのチームに入るためのテストを受けました。あまりうまくできませんでしたが、一生懸命頑張るピーターを見て、コーチはチームに入れることにしました。ピーターは素晴らしい選手だとは言えませんでしたが、チームを明るく*盛り上げることができたのです。

　ピーターは大学時代もずっと努力しました。大学の4年間、一度も練習を休みませんでした。しかし、高校時代と同じように、実際に試合に出られたのは数回だけでした。

　ピーターが大学4年生になり、アメフトの*シーズンが

---

*大差（たいさ）：a large margin / 大比分差距 / cách biệt lớn / grande diferença
*盛り上げる（もりあげる）：to liven up / 炒热气氛 / làm phấn khởi / animar
*シーズン：season / 赛季 / mùa / temporada

終わる頃のことでした。ピーターが練習場に走って行く
と、コーチが小さな紙を渡してきました。ピーターはそれ
を読むと、しばらく＊うつむいていました。やがてピーター
はコーチに向かって静かに言いました。「今朝、父が事故
で亡くなりました。今日は練習を休んでもいいでしょう
か」。コーチは優しく答えました。「週末まで休みなさ
い。土曜日の試合に戻ってこようと考えないように」

　　土曜日、ピーターのチームは試合の途中で20点の大差
をつけられて負けていました。ピーターは静かにロッカー
ルームに入り、＊ユニフォームに着替えました。コーチも他
の選手もピーターがこんなに早く戻ってきたのを見て、驚
きました。
　　「コーチ、僕を試合に出させてください。今日は出な
きゃいけないんです」とピーターは何度も何度もコーチに

＊うつむく：to hang one's head / 低头 / cúi đầu / olhar para baixo
＊ユニフォーム：uniform / 队服 / đồng phục / uniforme

お願いしました。コーチはなかなか*首を縦に振りませんでしたが、ついに「分かった。行ってこい」と言いました。

　その日のピーターのプレーは最高でした。走って、パスをして、*ブロックしました。ピーターのチームは点を重ねました。試合が終わる数秒前、ピーターがパスを受け取り、ついに*決勝点を入れました。ファンは大喜びでした。チームメートはピーターを肩に乗せて走り回りました。

　試合が終わって、ファンもチームメートも帰った後、コーチがピーターの所に来て「ピーター、今日は最高だったぞ！　どうしてあんなプレーができたんだ？」と言いました。ピーターはコーチを見て言いました。「あの、実は、ご存じではないと思いますが、父は目が見えなかったのです」。ピーターは泣くのを我慢して、無理に笑いました。「父は僕の試合全てに来てくれました。今日、父は初めて僕のプレーを見ることができたと思うんです！」

■1,360文字■

＊首を縦に振る（くびをたてにふる）：an idiomatic expression of agreement / 点头同意 / gật đầu đồng ý / expressão que significa concordar
＊ブロックする：to block / 拦截 / chặn lại / bloquear
＊決勝点（けっしょうてん）：the winning point / 赛点 / bàn thắng quyết định / ponto decisivo

あの日の出来事

カイルは引っ越してきたばかりのクラスメートだ。高校から帰る途中、
僕はカイルがいじめられているのを見た。僕はカイルに話し掛けた。
それから僕とカイルは友だちになった。実はその日カイルは……。

高校からの帰り道、*転校生のカイルが僕の前を歩いていた。後ろから見ると、ちょっと元気がなさそうだった。なぜかカイルは両手いっぱいに教科書を持っていた。「楽しい週末にあんなにたくさん勉強するの？　真面目な転校生だな」と思った。でも、僕は*気にしないで、週末のことを考えた。

そのとき、クラスメートが3、4人、後ろからカイルの方に走って行った。クラスメートは*わざとカイルにぶつかったり、カイルのかばんや眼鏡を取ったりした。誰かがカイルの眼鏡を遠くへ投げてしまった。そして、それを見たクラスメートは大きな声で笑いながら、どこかへ行ってしまった。

カイルは泣きそうな顔をしていた。僕はカイルの所へ行って、かばんや眼鏡を拾ってあげた。僕は「気にするなよ」と言った。カイルは「うん、ありがとう」と言った。

---

*転校生（てんこうせい）：transfer student / 转校生 / học sinh chuyển trường / aluno que mudou de escola

*気にする：to care about, to mind / 在意 / quan tâm / ligar

*わざと：on purpose / 故意 / cố tình / de propósito

　僕はカイルの教科書を拾いながら「たくさん教科書を持って帰るんだね。週末ずっと勉強するの？」と聞いたが、カイルは何も言わなかった。

　カイルはまだ引っ越してきたばかりで、クラスメートにいじめられていたのだった。僕は「意地悪なクラスメートのことは忘れよう。そうだ、週末、友だちとサッカーをするんだ。一緒に来ない？」と言った。カイルは「うん、行くよ」と答えた。

　週末、僕は友だちにカイルを紹介して、一緒にサッカーをした。カイルは僕の友だちとすっかり仲良くなって、楽しい週末を過ごした。

　月曜日の朝、学校へ行くときカイルに会った。カイルは先週の金曜日と同じように、両手いっぱいに教科書を持っていた。

「週末のサッカー、楽しかったね。でも、勉強する時間がなくなっちゃったね」と僕が言うと、カイルは*ニコっと笑って、教科書を半分、僕に持たせた。

それから、カイルが週末に教科書を全部持って帰ることはなかった。カイルをいじめるクラスメートもいなくなった。カイルは医者になりたいと言って、がんばって勉強を続けた。

卒業式の日、カイルは、卒業生代表のスピーチをすることになった。カイルは*リラックスして、自信を持って、そして静かにスピーチを始めた。

「卒業式は高校生活でお世話になった人に感謝する日です。家族や先生方、そして親友に感謝したいと思います。皆さんには、親友がいるでしょう。そして、皆さんも誰かの親友です。今日は、私の親友の話をしたいと思います」

---

*ニコッと笑う（わらう）：to smile brightly / 笑眯眯 / nhoẻn miệng cười / sorrir
*リラックスする：to relax / 轻松 / thư giãn / relaxar

カイルはあの日のことを話し始めた。

「私は高校1年生のときに、この町に引っ越して来ました。そして、初めのうちは毎日いじめられていました。ある金曜日、いじめられるのが嫌で、死にたいと思いました。でも、私が死んだら、両親が学校に来て、私の教科書を持って帰らなければなりません。それも嫌なので、私は自分で教科書を全部持って帰ることにしました。その金曜日の帰り道も、いじめられたのです」

カイルが話すと、卒業式の会場は静かになった。あの日、死のうと思っていたというカイルの話を聞いて、僕はびっくりした。

「あの日、私の親友は、いじめられている私を*無視して、そのまま歩いて行くこともできました。しかし、親友は私を助けてくれました。そして、今、私はここで卒業生代表のスピーチをしています。親友の小さな行動が私

---

*無視する（むしする）：to ignore / 无视 / phớt lờ / ignorar

の人生を大きく変えたのです。私たちは、他の人を悲しくすることもできるし、幸せにすることもできます。私たちには、他の人の人生を変える力があります。そのことを忘れないでください」

サンタのお手伝いさん

「サンタクロースなんていない！」と姉に言われた私は、
祖母に相談します。祖母はそんな私をデパートへ連れて行き、
「誰かのためにプレゼントを買ってあげなさい」と言って、
10 ドルを渡します。私が買った物は……。

　私と姉は小さい頃、毎年クリスマスイブにサンタクロースにあげるクッキーを焼いていました。サンタクロースは、夜、私たちが寝ている間に家に来て、ちゃんとクッキーを食べていました。次の日の朝になると、サンタクロースが食べたクッキーが少しだけ残っていたのです。

　その年も私はクッキーを作るつもりでした。「お姉ちゃん、お母さんが帰ってきたら、今年もサンタさんにあげるクッキーを焼こうね」と私は言いました。すると姉は「あなた、まだサンタを信じているの？　サンタはいないのよ。分かるでしょ」と冷たく言いました。

　私は姉に「ちょっと出掛けてくる」と言って、玄関から飛び出しました。そして、近くにある祖母の家に走って行きました。祖母の家のドアをノックして*駆け込むと、今あったことを祖母に話しました。

＊駆け込む（かけこむ）：to rush in / 跑进 / lao vào / entrar corriendo

「サンタクロースがいないですって?」と祖母は言いました。「サンタはちゃんといますよ。見せてあげましょう。ついて来なさい」

「どこ行くの? おばあちゃん」と私は尋ねましたが、祖母は答えませんでした。仕方なく、私は祖母の車に乗りました。

しばらくして、どこに行くのか分かりました。行き先は小さな安売りデパートで、いろいろな物が少しずつ置いてあるお店でした。

デパートの入り口に向かって歩きながら、祖母は「ほら、これを持って行きなさい」と言って、私に*10ドル札を渡しました。当時の10ドルは今よりも*大金でした。「このお金で、誰かのために、何か必要な物を買ってあげなさい。私は車で待ってるから」。そう言って、祖母は車に戻りました。

＊10ドル札（さつ）：10 dollar bill / 10美元的纸币 / tờ 10 đô-la / nota de 10 dólares
＊大金（たいきん）：a lot of money / 巨款 / số tiền lớn / muito dinheiro

私はまだ8歳で、それまで一人でデパートに来たこと
はありませんでした。デパートの中は、クリスマスプレゼ
ントを買うお客さんで、とても混んでいました。私は、
祖母からもらったお金を持ったまま、どうしていいか分か
らずに、ずっと立っていました。そして、誰に、何をあげ
たらいいか、必死に考えました。私が知っている人は、
……お父さんとお母さん、お姉ちゃん、近所の人たち、学
校の友だち、教会で会う人たち……。そのとき、クラス
メートのボビーのことを思い出しました。ボビーはコート
を持っていませんでした。ボビーは冬になると、休み時間
になっても外に出ません。それで、私はボビーがコートを
持っていないことが分かったのです。

　「そうだ、ボビーにコートを買ってあげよう！」と、私
は思いました。私は*フードの付いた濃い青色のコートを
見つけました。私はそれを一度自分で着てみて、とても

＊フード：hood / 风帽 / mū / capuz

暖かいことを確認しました。ボビーは、私とだいたい同じサイズです。

「誰かへのプレゼント?」

私が10ドル札をお店のカウンターに置くと、店員の女性が尋ねました。「そうよ。ボビーにあげるの。ボビーは私のクラスメートなの」。店員の女性は、コートをお店の紙袋に入れました。お釣りはありませんでした。彼女はにっこり笑って「メリークリスマス!」と言いました。

その夜、祖母が家に来て、コートを包むのを手伝ってくれました。包むとき、コートから小さい*タグが落ちました。祖母はそれを拾って、自分の*聖書の中に挟みました。私は包み紙とリボンを選んで、包み紙に「ボビーへ。サンタクロースより」と書きました。

「これであなたも立派なサンタのお手伝いさんよ。でも、

---

*タグ:tag / 标签 / nhãn / etiqueta
*聖書(せいしょ):Bible / 圣经 / Kinh thánh / Bíblia

このことは、誰にも言っちゃだめ。これは、サンタとお手伝いさんの秘密なの」と祖母は言いました。そして、ボビーの家まで車で連れて行ってくれました。

　祖母はボビーの家のそばに車を止めました。そして私は静かにボビーの家に近づきました。音を立てないように玄関まで行って、プレゼントを置き、ドアのベルを鳴らしました。私は風のように走ってボビーの家の庭を抜けて、隣の家の*茂みに隠れました。少し待つと、ドアが開いてボビーが出てきました。

　あれから50年がたちました。私は、この出来事を昨日のことのように覚えています。クリスマスの本当の意味を教えてくれた祖母に、私は感謝しています。そして、私は祖母の聖書を大事に持っています。中に挟んである「19.95ドル」と書かれたタグと一緒に。

■1,654文字■

---

*茂み（しげみ）：bushes / 草丛 / bụi cây / moita

グラミン銀行
<ruby>銀<rt>ぎん</rt>行<rt>こう</rt></ruby>

<ruby>貧<rt>まず</rt></ruby>しい<ruby>人々<rt>ひとびと</rt></ruby>は<ruby>銀行<rt>ぎんこう</rt></ruby>からお<ruby>金<rt>かね</rt></ruby>を<ruby>借<rt>か</rt></ruby>りることができない。しかし、1983<ruby>年<rt>ねん</rt></ruby>、バングラデシュの<ruby>経済学者<rt>けいざいがくしゃ</rt></ruby>、ムハマド・ユヌスは<ruby>貧<rt>まず</rt></ruby>しい<ruby>人々<rt>ひとびと</rt></ruby>だけにお<ruby>金<rt>かね</rt></ruby>を<ruby>貸<rt>か</rt></ruby>す<ruby>銀行<rt>ぎんこう</rt></ruby>をつくった。その<ruby>銀行<rt>ぎんこう</rt></ruby>は、どのように<ruby>活動<rt>かつどう</rt></ruby>しているのだろうか。

　1974年、バングラデシュ（Bangladesh）では、大きな川の水が＊あふれて、＊作物が取れなくなり、食べ物が非常に足りなくなった。その後数年の間に、約100万人もの人が、食べ物が食べられないために死んだ。

　人々が苦しんでいるのを見て、チッタゴン大学の若い教授、ムハマド・ユヌスはいらいらしていた。大学で経済を教えていても、貧しい人々を助けることにはほとんど役立たないからだ。そこで彼は、貧しい人々の本当の生活をもっと知るために、自分が教えている学生たちと一緒に、大学の隣にあるジョブラという村に行った。

　ユヌスと学生たちはジョブラでソフィアという女性に出会った。ソフィアは、小さな竹の椅子を作って生活のためのお金を＊稼いでいた。しかし、彼女の1日の収入はたった2セント（約2円）だった。椅子を作るのに必要な材料を買うためにお金を借りていて、そのお金を返さなくては

＊あふれる：to overflow / 满溢 / ngập tràn / transbordar
＊作物（さくもつ）：crops / 作物 / hoa màu / produto agrícola
＊稼ぐ（かせぐ）：to earn / 赚钱 / kiếm (tiền) / ganhar dinheiro

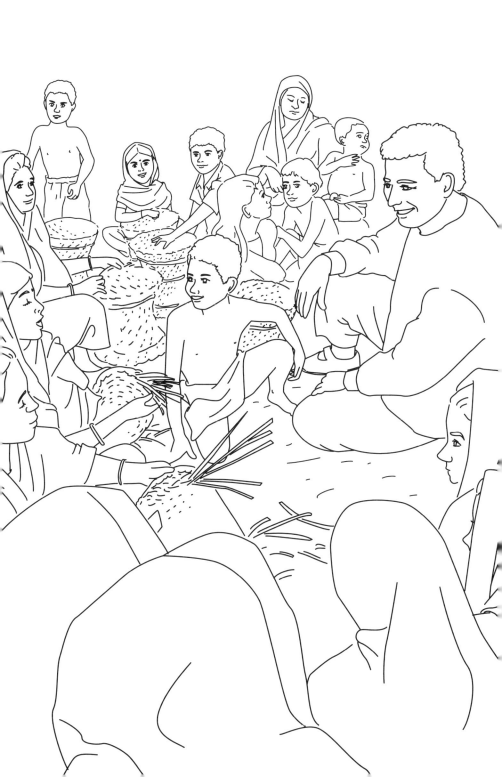

ならなかったからだ。ユヌスと学生たちがジョブラで行った調査の結果、ソフィアのような貧しい暮らしをしている人がたくさんいることが分かった。

　銀行は、こうした貧しい人々にはお金を貸さない。貧しい人々は借りたお金を返せないと思っているのだ。そのため、ソフィアのような村人たちは非常に高い*利子で*金貸しからお金を借りなければならなかった。高い利子を払わなければならないので、貧しい人々はいくら働いても、貧しいままだった。

　ユヌスは、村人たちがもっと低い利子でお金を借りることができれば、貧しい人々の生活がもう少し良くなるだろうと考えた。そこで彼は、竹の椅子などを作るための材料を買うお金を、自分が貸してあげることにした。持っていた27ドルを42人の貧しい女性たちに貸したのだ。ユヌス

＊利子（りし）：interest / 利息 / lãi / juro
＊金貸し（かねかし）：moneylender / 高利贷 / người cho vay / agiota

は、全くお金のない42人の女性たちが借りたお金を返して
くれると信用したのである。もし返してくれなければ、
彼にできることはもうなかっただろう。

　ユヌスの低い利子のおかげで、その女性たちは以前より
も＊利益を上げることができた。彼は、貧しい人たちを信用
してお金を貸す活動を続けて、いくつかの村で成功した。
そして1983年、ユヌスは貧しい人たちだけにお金を貸す
銀行、グラミン銀行を始める決心をした。グラミン銀行の
「グラミン」とは、ベンガル語で「村の」という意味であ
る。「村のための銀行」というのが、この銀行の基本の考
えなのである。

　グラミン銀行には独特なルールがある。お金を借りるた
めには、「貧しいこと」と「一生懸命働く意志があるこ
と」を示すだけでよい。お金を借りる人たちは５人でグ

＊利益（りえき）：profit / 利润 / lợi nhuận / lucro

ループを作り、それぞれが少しだけお金を借りる。5人グループは、グループのメンバー全員がお金を返せるように、お互いを*励まし合っている。他のメンバーの期待に応えるために、みんなで頑張って期限までにお金を返そうとする。そのため、グラミン銀行からお金を借りた人たちの多くは、ちゃんとお金を返して、銀行からの信用に応えている。

　しかし、誰かがお金が返せなかった場合でも、他のメンバーがそのお金を返す必要はない。グラミン銀行は、それを損として*受け入れる。お金を借りる貧しい人々を信用して少しのお金を貸すことによって、グラミン銀行は貧しい人々の*自立を助けているのである。
　現在、グラミン銀行からお金を借りる人の97％は女性である。これは興味深い事実だ。貧しい女性たちは借りたお

＊励まし合う（はげましあう）：to encourage one another／相互鼓励／động viên nhau／encorajar-se mutuamente

＊受け入れる（うけいれる）：to accept／接受／chấp nhận／aceitar

＊自立（じりつ）：self-reliance／自立／tự lập／independência

金を返すと、稼いだ利益で子どもたちに衣服や食料、そして教育を与えている。貧しい女性は貧しい男性よりも家族に役立つことにお金を使う、とユヌスは考えている。

　過去数十年間、普通の銀行は自分たちの利益の*追求やミスで世界経済に大きな問題を引き起こしてきた。それに対して、グラミン銀行は世界の貧しい人々の暮らしを改善してきた。普通の銀行とグラミン銀行は全く違う。普通の銀行は自分たちの利益のために活動するのに対して、グラミン銀行は貧しい人々の利益のために活動する。
　貧しい人々は、働こうとしないから貧しいのではない。グラミン銀行は、私たちにそのことを教えてくれた。
　2006年、ユヌスとグラミン銀行は*ノーベル平和賞を受賞した。

■1,660文字■

＊追求（ついきゅう）：pursuit / 追求 / tìm kiếm / busca
＊ノーベル平和賞（へいわしょう）：Nobel Peace Prize / 诺贝尔和平奖 / giải Nobel Hòa bình / Prêmio Nobel da Paz

トイレの花子さん

「私たちの学校のトイレには、花子さんがいるらしいよ」。陽子が恵子に言います。みんなが帰った放課後、陽子はトイレに行きたくなったので、恵子に頼んで一緒にトイレに行ってもらいました。陽子を待つ間に、恵子は「あること」をしてみました……。

　小学校5年生の女の子、陽子と恵子は、放課後、教室で長い間おしゃべりをしていました。

　おしゃべりが終わって、陽子が言いました。「そろそろ家に帰らないと。本当はトイレに行きたいんだけど、放課後の学校のトイレはちょっと怖いな」

　「今、行っておいた方がいいよ。家に帰る途中ですごくトイレに行きたくなったら、困るよ」と恵子が答えました。

　「でも、学校のトイレには『花子さん』がいるって、お姉ちゃんが言ってたんだもの」と陽子は心配そうです。

　「え？　花子さんって誰？」と恵子が尋ねました。

　「花子さんのこと、知らないの？　3階の女子トイレの中にいる女の子のことだよ」

　「えっ、何それ！　どうしてトイレの中なんかにいるの？」

「どうしているのかは知らないけど、どうしたら花子さんに会えるかは、知ってるよ。3階のトイレの個室のドアを全部3回ずつノックして、『花子さん、いらっしゃいますか?』って聞くの。手前のドアから一つずつ順番にね。全部ノックしたら、また、始めから全部のドアをノックするの。そうすると、3回目に3番目の個室から花子さんが『*はあい』って答えるんだって」

「本当? それで花子さんは何か怖いことをするの?」

「そうだよ! 花子さんが3番目の個室から飛び出してくるんだよ。そして、花子さんを呼んだ人をトイレの個室の中に連れて行ってしまうんだって。そうなったら、二度と戻れなくなっちゃうんだから!」

「*うそだあ、そんなことないよ。大丈夫だって」

「だって、怖いんだもの。一緒に来てくれない?」

「うん、いいよ」と恵子は心配そうな陽子に言いました。

---

*はあい:yes (spoken like a ghost) / 哎 (阴森的语气) / Ơ~i! (giọng như nhát ma) / olá (falando como um fantasma)

*うそだあ:you're kidding (air of disbelief) / 瞎说的吧 / Xạo quá đi / É mentira!

二人は教室を出ました。廊下の窓から夕日が差していました。ほとんどの子は家へ帰ってしまい、学校の中はとても静かでした。

二人は３階の女子トイレに着いて、中に入りました。陽子は手前から４番目の個室に入りました。恵子は最初、そのドアの近くで待っていましたが、突然、あることをしてみたくなりました。陽子が言うようにドアをノックしたら何が起こるのか、試してみようと思ったのです。

トン、トン、トン、恵子は１番目の個室のドアをノックしてみました。

「花子さん、いらっしゃいますか？」

何も起こりませんでした。

「恵子、何してるの？　やめてよ！」と、陽子は個室の中から叫びました。

「大丈夫、遊んでいるだけだから」と、恵子は答えまし

た。

　恵子は次々に個室のドアを３回ずつノックして、「花子

さん、いらっしゃいますか？」と*声を掛けていきました。

悪いことは何も起こりませんでした。

「じゃあ、２回目をしてみるね」と、恵子は言いました。

　１番目の個室まで戻り、また同じようにドアを３回ずつ

ノックして、「花子さん、いらっしゃいますか？」と声を

掛けました。返事はありませんでした。

「やめてって言ってるじゃない！　すぐに出るから」と、

陽子はいらいらしながら言いました。

「はい、はい、分かったから」

　恵子はもう一度、ドアを３回ずつ次々にノックしていき

ました。

　今度は３回目です。恵子が２番目の個室のドアをノック

し終わったとき、陽子が４番目の個室から出てきました。

---

*声を掛ける（こえをかける）：to call out / 打招呼 / gọi / chamar

「やめてよ！」という陽子の言葉と同時に、恵子は３番目の個室のドアを３回ノックして言いました。「花子さん、いらっしゃいますか？」

　少したって、個室の中から小さな声がしました。

「はあい」

　個室のドアが小さな音を立てながら、ゆっくりと開き始めました。

　中には、二人より２、３歳下の小さな女の子が立っていました。赤いスカートをはいて、髪は肩までの長さの*おかっぱ頭でした。突然、その子の目が*一瞬光ると、女の子はすごい速さで前に飛び出してきて、恵子の左手の手首をつかみました。

　陽子は恵子の肩をしっかりつかんで、もう片方の腕を恵子の腰に回しました。しかし女の子は、小さな子のもの

---

*おかっぱ頭（あたま）：bobbed hair / 娃娃头 / đầu tóc mái cắt ngang /
　　　　　　　　　corte de cabelo na altura do ombro

*一瞬（いっしゅん）：for a moment / 一瞬 / trong khoảnh khắc / por um momento

とは思えない力で、恵子を自分の方へ引っ張りました。

恵子と陽子は＊じわじわと個室の中へ引っ張られて行きました。二人がほとんど個室の中に連れて行かれそうになったとき、突然、トイレの前の廊下から声が聞こえました。

「おーい！　まだ誰か、トイレの中にいるのかー？」

体育の山本先生の声でした。

「はーい！」

二人は大きな声で答えました。

「ここにいます！」

すると、恵子の手首をしっかりつかんでいた、あの恐ろしい力は急に消えてなくなって、二人とも音を立てて後ろに倒れました。

山本先生がトイレの入り口から顔を出しました。

「＊お前たち大丈夫か？　トイレで何してるんだ？」

＊じわじわと：gradually / 慢慢地 / từ từ / aos poucos
＊お前たち：you (informal) / 你们 / mấy đứa / vocês

「あの、えっと、私が入ろうと思ったら、恵子が出てきてぶつかっちゃったんです」

「なんだ、そうか。もう遅いぞ。さあ、気を付けて帰りなさい」

　二人は廊下を走って、階段を飛ぶように下りて、慌てて校門を出ました。

　校門を出ると、やっと立ち止まってほっとしました。恵子は陽子の手を強く握って言いました。

「ごめんね、陽子。陽子の言う通りだった。やっぱり花子さんは本当にいるんだね。……あっ！　これ、見て！」と恵子は言って、左手の手首を陽子に見せました。

　そこには、花子さんがつけた赤いあざが＊くっきりと残っていました。

■2,053文字■

＊くっきりと：distinctly / 清楚地 / rõ rành rành / nitidamente

☕ **翻案者紹介**

吉川達：佐賀大学全学教育機構講師

門倉正美：横浜国立大学名誉教授

佐々木良造：秋田大学国際交流センター助教

どんどん読める！
日本語ショートストーリーズ　vol.1

［発行日］	2017 年 12 月 13 日（初版）
［編　集］	株式会社アルク出版編集部
［翻　案］	吉川達・門倉正美・佐々木良造
［翻　訳］	株式会社アミット
［校　正］	田中晴美
［デザイン・イラスト］	岡村伊都
［ＤＴＰ］	株式会社 秀文社
［印刷・製本］	萩原印刷株式会社
［発行者］	平本照麿
［発行所］	株式会社アルク 〒 102-0073　東京都千代田区九段北 4-2-6　市ヶ谷ビル TEL：03-3556-5501　FAX：03-3556-1370 Email：csss@alc.co.jp　Website：https://www.alc.co.jp/

地球人ネットワークを創る

アルクのシンボル
「地球人マーク」です。